손, 아귀

고문영 동화

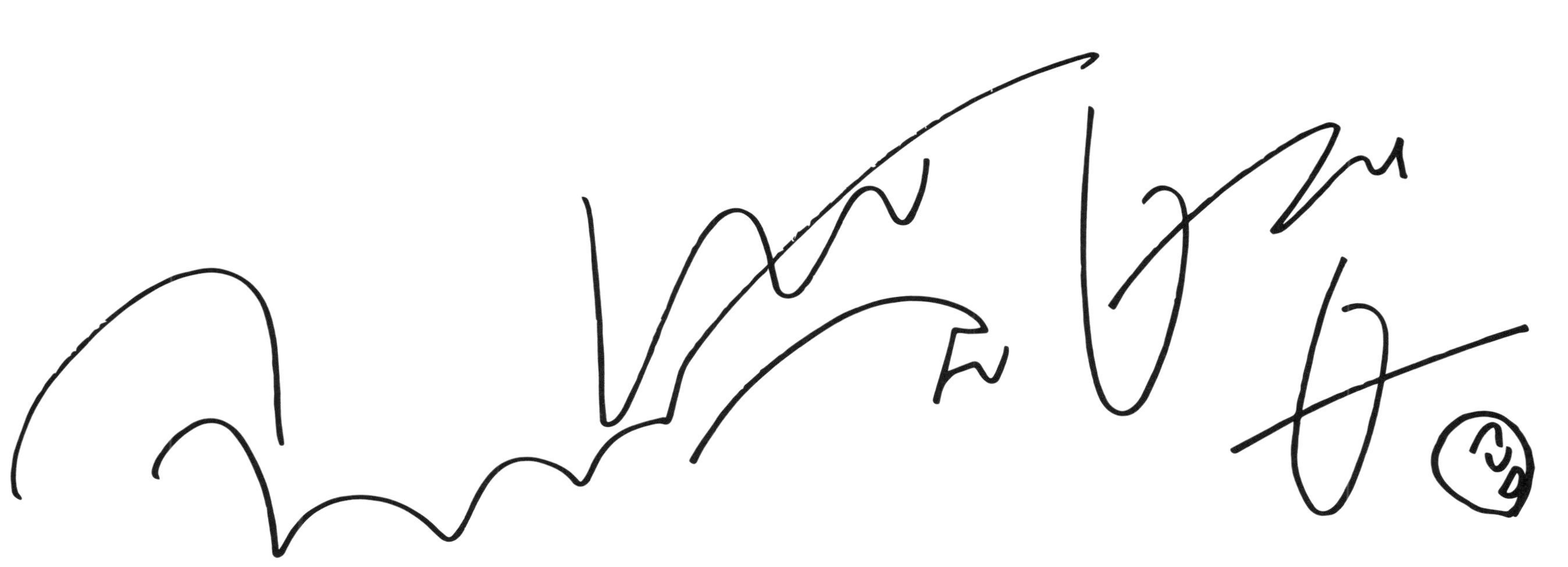

위즈덤하우스

옛날 옛날에 어느 부잣집에 예쁜 아기가 태어났습니다.
목련꽃처럼 하얗고 어여쁜 아기를 너무나 사랑한 엄마는
아기를 위해서라면 해님 달님도 따다 주겠다고 맹세했지요.

아기가 밥을 먹기 시작하자 엄마는 뛸 듯이 기뻐했어요.
"아기야, 이젠 엄마가 다 먹여줄게. 입을 크게 벌려 아~ 해보렴."

아기가 걷기 시작하자 엄마가 헐레벌떡 뛰어왔지요.
"아기야, 엄마가 업어줄게. 어서 등에 업히렴."

필요한 모든 걸 다 해주며 완벽하게 아기를 키워낸 엄마가 말했어요.
"사랑하는 나의 아기야, 엄마는 좀 쉬어야겠구나.
이제 네가 내게 먹을 것을 좀 다오."

그러자 아기가 말했어요.
“엄마, 나는 손이 없어요. 한 번도 써보지 않아서 없어져버렸네요.”
“그렇다면 나의 아기야, 나를 좀 업어주렴? 다리가 아프구나.”

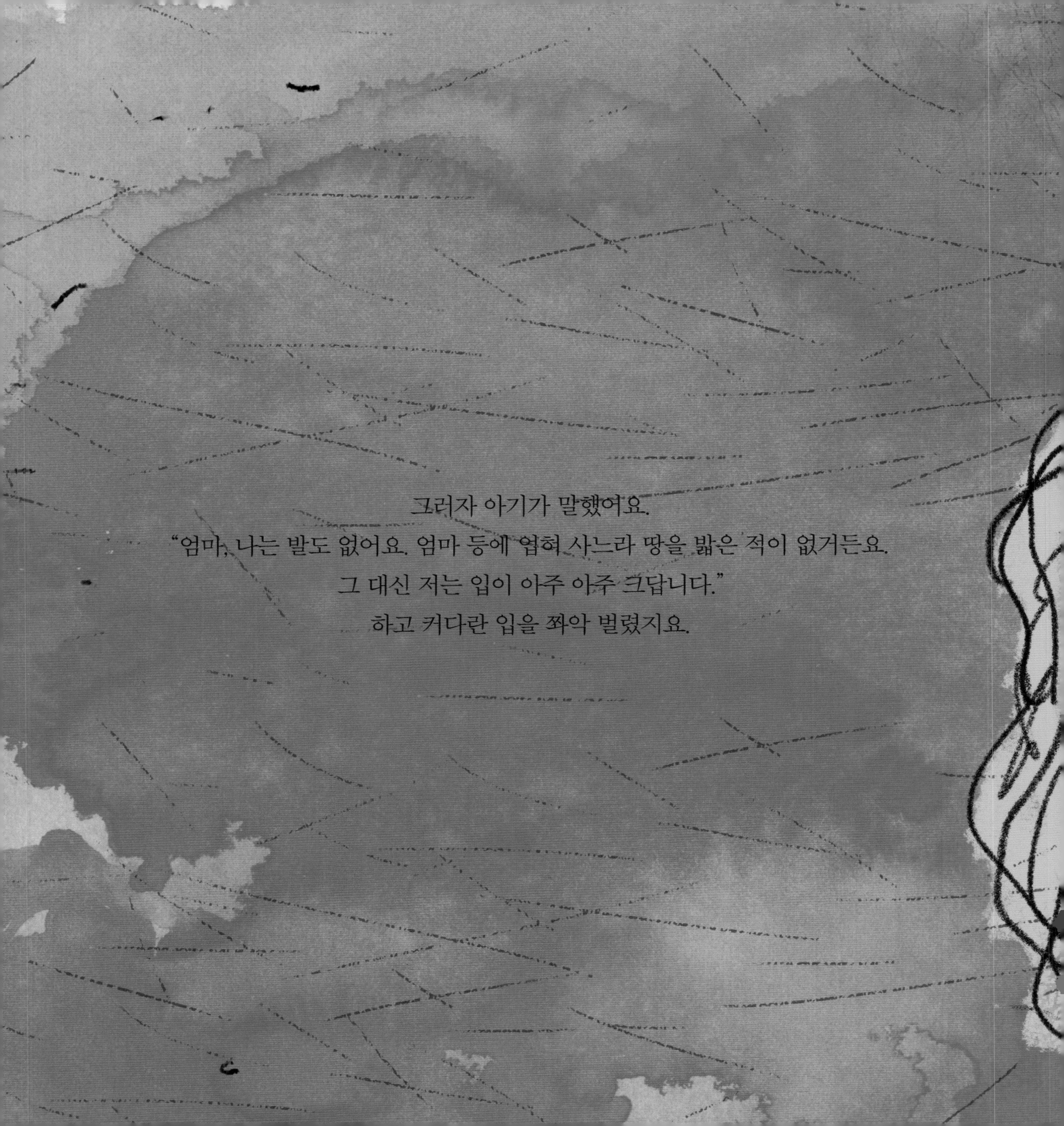

그러자 아기가 말했어요.
"엄마, 나는 발도 없어요. 엄마 등에 업혀 사느라 땅을 밟은 적이 없거든요.
그 대신 저는 입이 아주 아주 크답니다."
하고 커다란 입을 쫘악 벌렸지요.

그러자 화가 난 엄마가 소리쳤어요.
"이제 보니 너는 내 완벽한 아기가 아니라, 쓸모없는 아귀로구나.
받아먹을 줄만 알고 할 줄 아는 게 없는 실패작이야!"

엄마는 아귀를 먼바다에 내던져버렸지요.

그날 이후, 거친 바닷바람이 부는 흉흉한 날이면
뱃사람들의 귀에 아기 우는 소리가 들리곤 한답니다.

"엄마, 엄마, 내가 무엇을 잘못했나요….
나를 다시 데려가주세요… 나를 다시 데려가주세요…."

글 | 조용

드라마 〈저글러스〉 〈사이코지만 괜찮아〉 대본을 썼다.

그림 | 잠산

콘셉트 디자이너 및 일러스트레이터로 활동하고 있으며 드라마 〈남자친구〉 〈사이코지만 괜찮아〉 등에 삽화를 그렸다.

사이코지만 괜찮아 **특별 동화 4**

손, 아귀

초판 1쇄 발행 2020년 8월 15일 **초판 11쇄 발행** 2024년 6월 13일

글 조용
그림 잠산
펴낸이 최순영

출판2 본부장 박태근
스토리 독자 팀장 김소연
편집 곽선희

펴낸곳 ㈜위즈덤하우스 **출판등록** 2000년 5월 23일 제13-1071호
주소 서울특별시 마포구 양화로 19 합정오피스빌딩 17층
전화 02) 2179-5600 **홈페이지** www.wisdomhouse.co.kr

ISBN 979-11-90908-68-9 04810
979-11-90908-25-2 (세트)